TSUKUBASHOBO-BOOKLET

暮らしのなかの食と農——64

地域貢献の小水力発電

協調型寡占の打破・コスト下げとともに

堀口健治 著

Horiguchi Kenji

筑波書房ブックレット

目　次

はしがき

　1,000kW以下の発電所を日本では小水力発電と呼ぶことが多いようです。中小水力というと3万kW以下なのですが、1,000kW以下を特に分けるのはこの規模の発電所が他国より数多く期待されるからでしょう。日本の河川の形状に適合的なのです。

　小水力発電は、川の水をそのまま発電所に引き込む「流れ込み式」や川の水を上流でせき止め落差のある所まで導いて発電する「水路式」のタイプの発電です。黒部ダムのように貯水した水を使い発電する方式ではなく、河川の水とその流れをそのまま使うやり方です。工事費もダム式と比べて少なく済み、地元の関係者が関わることができる規模の発電所なので地域に大いに貢献します。

　流量と落差があれば発電は可能であり、太陽光と異なり昼夜を分かたず電力を発生させてくれる効率のよい安定電源なのです。

　日本は小水力発電の適地が多いといわれています。多くの調査がそれを明らかにしています。しかし、そうではあるものの、残念ながら期待ほどに小水力発電所が増えていません。それは発電に取り組む動きが弱かったり、コストが高いので採算が合わないと思いこむ傾向があるからです。

　本書はそうした小水力発電の展開を妨げる要因を明らかにし、それらを乗り越えた事例や方法を紹介することで、発電所が一層増えることを期待しています。単に小水力発電の意義を述べるのではなく、このままではなかなか増加しない小水力発電の設置を大いに増やすためのやり方を述べます。その点で他の書籍とは異なります。

　今の日本は、電源構成で再生エネルギー（以下、再エネと略称）の比率を飛躍的に伸ばすことを求められている国です。日本の温室効果

ガスの排出量を2050年までに実質ゼロにする菅首相の声明がようやく2020年10月に出ましたが、この約束を達成するには、再エネ拡大が必須です。小水力発電はその重要な一環として拡大すべきことをあらためて強調したいのです。

1．期待より遅れている小水力発電の取り組み

（1）期待の大きさと対照的に少ない稼働済み発電所

　日本の山谷の状況からして、水力発電、とりわけ落差のある中小河川や農業用水路等を利用した発電が大きく期待されています。再エネの利用で先を進む海外から来日した研究者たちが、急峻な河川や全国に網の目のごとく張り巡らされたかんがい用水路を見て驚き、こうした河川や水路の落差を利用する発電を興奮気味に語っていたことを思い出します。傾きを持つ川や用水路が長く続くので、いくつもの段階に発電機を設置し、河川の水を繰り返し利用できるからです。

　水力発電は不安定な電源の太陽光や風力と比べ安定電源です。流入量が概して一定だからです。kWh表示の電力量をkWの電力で除して効率性をみると、非住宅の事業用の太陽光は概して小水力の2割くらいしかありません。

　政府がこれまで述べてきた期待する2030年度の電源ベストミックスの構成比は、火力で56％、原子力20〜22％そして22〜24％の再エネとなっています。再エネの中で水力が8.8〜9.2％と最大で、太陽光7.0％、バイオマス3.7〜4.6％、風力1.7％、地熱1.0〜1.1％の順になっています。2030年度の発電電力量は1兆650億kWhと推定されているので、水力は937億〜980億kWhの電力量が期待されていることになります。しかし主力電源としての再エネの割合が日本は極めて低いと国際的にも

批判されており、首相声明を受けて大きく修正されます。政府はグリーン成長戦略として2050年までに再エネを３倍の50〜60％にするとした参考値を明記しました。

　2017年実績の発電電力量の構成（発電量は１兆560億kWh）は、2019年『エネルギー白書』によると、火力で80.8％、原子力3.1％、再エネ16.1％（うち水力8.0％、他の再エネ8.1％）となっています。水力は、固定買取制のFIT[1]以前の水力発電専用の黒部ダム（1961年発電・最大出力33.5万kW・常時出力8.8万kW・年間発電量約10億kWh）のような大規模なダム等による水力発電がすでに5.8％の大きさだけあり、残りの1.7％がFIT以降の小水力を含む中小水力発電になります。そして大規模なダム等による水力発電は、それ以降は開発適地もなく、こうしたタイプの発電は1970年代半ばの水準でとまっているのです。それから以降は1.7％にあたる中小水力が増えることで、2030年度の8.8〜9.2％を達成させることが期待されていたのです。すなわち中小水力発電だけで327.9億〜370.5億kWh、197万〜280万kW

（1）固定価格買取制度（FIT）は、再エネの電気を電力会社が一定期間同一価格で買い取ることを国が約束した制度です。2012年に始まり、エネルギー自給率向上や温暖化対策が狙いです。種類は太陽光、風力、水力、地熱発電、バイオマスです。これまでは建設や維持コストが高く拡大しなかったので、従来よりも高い価格で買い取る（費用は国民が電気料とともに請求される賦課金で負担）ことにしたのです。収益が高いので参入者が増え、その結果競争が起こり、技術革新等で資材価格の低下等、コストが下がることを期待しています。「学習効果」であり太陽光パネル等の急速な価格低下はその結果です。事業用（10kW以上）の太陽光発電買取価格（税別）は当初のkWh当り40円から2019年では14円まで低下しているものの、太陽光発電はさらに普及したので、政策の期待に沿っています。だが、水力は200kW未満がkWh当り34円、1,000kW未満は29円、5,000kW未満27円、３万kW未満20円（いずれも税別）で今も当初以来の価格に据え置かれていますが、期待ほどの普及がみられません。それは何故かがこの本の課題です。

の増加が期待されていたことになります。しかし資源量としてはこのレベルはクリアできるはずのものであり、極めて低い目標です。さらに発電を拡大することは可能です。

　だが状況はかんばしくないのです。少しずつは増えていますが広範な展開とは言えません。小水力に期待する色々な書物、例えば竹村公太郎氏の『水力発電が日本を救う』（東洋経済新報社）[2]が出版されていますが、これまでの経緯をみるとそうなってはいません。FITのもとで急速な発展を大いに期待されましたが、そうはなっていないのです。それが出来ていない原因こそをむしろ明らかにする必要があります。

　資源エネルギー庁（以下、エネ庁と略称）のサイトに載るデータで、2020年3月末時点の固定買取制度による再エネの発電設備導入状況を見てみましょう。

　認定されている中小水力（エネ庁が中小水力と呼ぶ3万kW以下の発電所で固定買取対象として認められたもの）の認定量は129万kWですが、認定された中で運転を開始し買取り対象になっている導入量はその内51万kWと認定量の39％の水準でしかないのです。再エネ全体では認定量9,332万kW、これに対して導入量は5,460万kWなので59％、認定を取ってから建設して発電する取り組みの遅さが前から指摘されていた非住宅（家庭用の「住宅」ではなく事業用を指します）の太陽光も64％に上がってきているので、小水力発電の遅さが目立ちます。

（2）竹村公太郎『水力発電が日本を救う』（東洋経済新報社、2016年）、他に中島大『小水力発電が地球を救う』（東洋経済新報社、2018年）等があります。これらの書籍は小水力発電がもつ意義を正確に指摘していますし、各地の色々な事例を詳しく紹介しています。しかし期待される小水力発電が広範に展開しない実状については十分には触れていません。

　そして遅いだけでなく、2030年時の水力発電の導入は197万〜280万kWが期待されているのに、認定量自体が未だその半分程度でしかないことは驚きです。

　詳しく見ると、2017年3月時点の、FIT始まって以来の累積の認定量は112万kW（598件）であり、そのうち、1,000kW〜3万kWが101万kW（123件）、200kW〜1,000kWは7.6万kW（132件）、200kW以下の小水力は3.1万kW（343件）という低いレベルなのです。しかも運転開始量は24万kW（285件）ですから、立ち上がりの遅さも改善されていません。合計598件（112万kW）の認定件数は、前年の2016年でながく80万kWのレベルで停滞していたのですが、固定買取制度の改定が予想される中で駆け込みで入ってきたものが多く、その結果増えました。すなわち2017年に入って急増した数字なのです。しかしそうだとしても、レベルとしてはその程度でしかありません。

　なお非住宅の太陽光の認定量は2017年3月末で7,905万kWになっており、導入量は2,875万kW、累計の買取り電力量は767億6,211万kWhで、認定量レベルを導入量とみなせば2030年度ベストミックスの太陽光の目標を2017年度末で上回っていることがわかります。

　すでに運転を開始し固定買取制度で買い取られている電力量を制度開始以来の累計（2020年3月末）で見ると3,925億kWh、太陽光等を含むこれら全体の中で中小水力は143億kWhなので3.6％、買い取り金額では2.8％と極めて低いのです。

　水力発電は開発に至る時間が長く、なかなか発電・売電に至らないという事情があります。河川利用だと普通に数年はかかると言われています。ために固定買取が始まった初期では、すでに立ち上がっていたところの規模の大きい中小水力発電所の移行認定（再エネ特別措置法等によりFITの制度以前にすでに発電を開始していた設備等をFIT

に移行させる）から取り組みが始まったと思われます。移行認定であればすぐに成果が示されますが、新規認定は発電に至る成果がすぐには示せないのです。それが上記の数字に多く含まれているので、新規に開発された小水力発電はまだまだ少ないのです。

　繰り返しますが、立ち上がった新規認定の量自体が極めて小さいことが大きな問題なのです。もともと期待されている小水力発電の大きさはこのような低い水準ではないのです。各種の潜在可能調査が明らかにする小水力発電はもっと数が多く発電量が大きいことが示されています。

　エネ庁が公表済みの包蔵水力調査によれば、未開発の一般水力は2,695地点、最大出力1,987万kW強とされています。環境省の「平成21年度再生可能エネルギー導入ポテンシャル調査報告書」によれば3万kW以下の中小水力発電のポテンシャルは80～1,500万kWになっていて、おおきな開発余地が期待されているのです。包蔵水力調査では1,000kW未満の部分については369地点、24万kW強としていましたが、全国小水力利用推進協議会によれば1,000kW以下の未開発包蔵水力は300万kWあると独自に計算しています。

（2）伸びない諸事情

　これには色々な要因があります。適地ではあるが、下流に水利権を持つ関係者や漁業者の同意が得られなくて、計画が進まない場合が結構あります。水力発電は、取水量と同じ量の水を汚染することなく河川に戻すのですから、既存の利用者には影響が少ないとみられるものの、十分な折衝がなされず、計画倒れに終わっている事例が多くみられます。交渉がなされていないのです。

　内水面漁業者は今ではその数が少ないものの、河川を利用する権利

を持つ漁協や関係者等との交渉がまとまっていないと、水利権の許可
を行う国交省と水利権協議に入ることが出来ません。この点を解決す
るためには、自治体の役割が大きいでしょう。諸事情を知っているも
のから見れば、補償が必要な利用のレベルなのか、どの程度の補償が
あるべきなのか、さらには取水量を定めた時期、定めた水準に保てば
問題は発生しないのではないのか、といったことを正確に計り妥協点
を示すことが必要です。

　地域に貢献できる小水力発電なので、自治体が乗り出すことにより
折衝・取りまとめがうまく行くことが期待されます。自治体の首長の
役割は大きいのです。

　最近は小水力発電に際しての折衝の経過や開発までの経緯を述べた
事例集などが公開され始めています。開発の様子を詳細に記したもの
を県の企業局などが出している例もあります。民間団体による事例集
や、経過を詳細に述べるケースも見られるようになりました[3]。

　また実際に発電機等の種類や売電収入を計測するためには、落差だ
けではなく、適地での流量データや流速など数値を時期別に知ること
が必要です。国交省の河川法第23条に基づく水力発電の水利使用許可
の審査における基本的な事項を述べた「水力発電水利審査マニュアル
（案）」（2013年4月第2版）は、手続き等を詳細に述べています。ここ
には「取水予定量が基準渇水流量（10年に1回程度の渇水年における
取水予定地点の渇水流量）から河川の維持流量と他の水利使用者の取
水量の双方を満足する水量（正常流量）を控除した水量の範囲内」と

（3）清水徹朗「小水力発電の現状と普及の課題」『農林金融』2012年10月号、
　　農林中金総合研究所はFIT初期の頃の実状を述べています。小林久他
　　『生存科学シリーズ3　小水力発電を地域の力で』（公人の友社、2010年）
　　は実際の取り組みについて、他の事例も含め、具体的に述べています。

述べられていて、10年間のデータを要求しています。実際の計測は難しいので近傍の観測データを使い、また1年間の実測データを近くの観測データで補正した10年の理論値に置き換えることが多いのです。そのため国や自治体、さらには水系に存在する既存の水力発電の流量データや、国交省の公表データなどを使う必要があります。

　この他に期別規制がかかっている農業水利権の場合、新規の発電水利権を取るためにも流量データが必要です。

　関係者の協議やデータの収集、さらに系統接続が可能になっているのか等、調べる必要があります。

　さらにファイナンスという資金手当てと、工事や機械施設のコストの検討が必要です。事業者に自己資金がほとんどない中での金融機関の貸し渋り、他方で工事費や高価格の機械等によるコスト高、ここが今まではあまり指摘されていなかったのですが、実は大きな問題なのです。本書はここを重点に述べることになります。

　高値の調達価格で買ってくれる固定価格買取制度の下でも、コストが売電収入を上回れば、事業として小水力発電に取り組むことはできません。コストが回収できなければ事業として始めるわけにはいかないのです。施設や水路等の工事費そして発電機・水車等を主に、費用が収入計画よりも高くなり、開発をためらっているところはかなりあるようです。地域金融機関から資本を調達し、売電が地域経済へ大きく貢献することが期待される発電所なのに、力強く進まない要因としての資金難・コスト高を、後ほど具体的に取り上げます。資金も調達の仕方が多様にあることやコストはもっと下げられることを紹介したいのです。

　小水力発電が認定から導入・発電に至るまでの期間が長いのは、太陽光など出来合いの製品を購入するのと比べると、設計から水車や発

電機などの注文発注が個別に行われ、オーダーメイドなのでどうして
も期間がかかるという事情があります。太陽光パネルでは量産による
競争が価格低下を招いたのに対して、オーダーメイドは価格比較が難
しく、結果として価格が高めに維持されやすい。競争が生まれにくい
のです。水車や発電機等の小水力発電に関係する業界では、今までの
状況は「バブル」が続いている状態だと称されているようです。注文
を受けてから発注者を相当待たせてもなお、新規の注文が続くし、高
値の調達価格の固定買取制度をベースにしているので、高額での引き
受けに限定しても注文があるからのようです。

　業界は小規模で、また参入も少なく、そうしたことによりビジネス
が成り立っているので、高値での寡占状態といえましょう(4)。

　大きい落差や豊富な水量、あるいは取り入れ口の堰から落水地点ま
での距離が短いので工事費も少なくて済み、そのため採算が合いやす
い「有利な」場所での小水力発電、これなら高めの水車や発電機とい
うコスト高でも、固定買取のもとで採算はあうのでしょう。実際に今
まで先行して立ち上がっている小水力発電は、こうした条件が有利な
ところが多いのです。逆に「不利な」地点での発電は、条件が有利な
地点と比べて、比較的売電収入が少なくそのためにコストが相当に低

（4）日本政策投資銀行『小水力発電事業を通じた地方再生のすすめ』（2016年
　3月）では、オーダーメイドによる個別設計が量産化・標準化の普及を
　難しくさせ、出力1000kW以上を対象としている重電メーカーの参入が
　なく、「少数の小規模メーカーが中心に担って」来ていることを述べて
　います。そのため、近年では輸入機材の利用が検討されています。「国
　産に比べて価格が安い海外製の水車や発電機の活用が小水力発電普及の
　糸口になる可能性がある」、「自然再生エネルギー利用が盛んなヨーロッ
　パなど海外製品の価格は日本の半分ほどであること」と、新潟県小水力
　利用推進協議会の講演会で、小水力発電に詳しい茨城大小林久教授が
　語っています（日刊建設工業新聞2018年8月20日）。

くないと採算が合わない。その場合の低いコストとはどういうものか、下げることが可能なのか、こうしたことに本書は迫ります。

2．恵まれた条件を勝ち取ってきた事例

（1）村の力で適地を探し系統接続で拡大した例

　村直営の小水力発電が岡山県西粟倉村ではすでに大きな財政的貢献を果たしています。これを財源に豊富な山林を熱エネルギーに置き換え、村のエネルギー100％自給を目指しています。再エネが地域を支えているのですが、小水力発電はその出発の基になっていることを強調しておきたいと思います⁽⁵⁾。

　2003年に村が西粟倉村農協から権利と施設を譲り受けたのが始まりです。当時、収益の低い・古い発電所を農協が村に譲ったのです。しかしその後、固定買取制が導入されたので、1966年に設置された発電所を2014年に費用3.1億円をかけて更新し、新しく稼働させたのです。補助を使うと売電事業の黒字分は返還させられるので、あえて村単独で事業を行い黒字を多く確保しました。

　この西粟倉水力発電所（名称は「めぐみ」）は、固定価格買取により従来の年間売電収入1.6千万円の4.5倍にあたる7.2千万円が得られています。この大きな収益が村財政を通じ地域経済を底支えしているのです。兵庫と鳥取の両県に隣り合い、森林が地域の9割以上の西粟倉村は、2015年の一般会計20.5億円、うち自主財源3.8億円（このうち1.4

────────────────────

（5）2013年に環境モデル都市（低炭素社会の実現に向け温室効果ガスの大幅削減等の取り組みを行うモデル都市として政府が選定）に選ばれた岡山県英田郡西粟倉村は「百年の森構想」を持ち、小水力発電と木質バイオマス等で再エネによる村のエネルギー自給率100％を目指しています。市町村合併をしない小規模な自治体ですが着実な歩みを図っています。

億円が村税）という小規模な山村なので、この収益は大きいです⁽⁶⁾。

　その後も村は担当者による発電適地の探索を続け、今回は５つ目の小水力発電に取り組みました。出力は199kWを期待でき、村内最大の「めぐみ」290kWに次ぐ大きさです。年間５千万円近くの収入が期待され収支は十分に合うとみられます。

　しかし問題は固定買取の売電に必要な系統接続でした。中国電力から「送電網の容量に空きがない」として断られ、接続したいなら送電設備を増強する工事費用の負担を求められたのです。それは18.5億円という巨額なもので、これでは事業が成り立つはずがありません。策をいろいろ考え、隣接の兵庫県に送電網を持つ関西電力に相談したら、約４kmの県境まで村が自力で１億円をかけ電線を引けば接続できるとの回答でしたが、18.5億円と比べはるかに少ないものの、小水力発電本体の事業費が5.2億円のレベルなので、１億円の負担増は大きいものです。あきらめるかどうかとなりました。

　しかしその後に新しい事態がようやく展開しました。国が行った「送電網に関する運用ルールの緩和」という直近の政策の導入で、中国電力の18.5億円という負担金の大半を占めていた高圧電線の増強が不要になったのです。既存系統の最大限活用ということで、利用されていない送電枠の活用による変更であり、最終的には中国電力と２千万円の工事費で系統接続の話がつきました。大きな変更です。かくして工事は2019年の春に始まりました⁽⁷⁾。

　全国にある電力会社の送電網、これの有効活用に一定の改善がよう

（６）上山隆浩「「上質な田舎」を目指した、低炭素モデル社会の創造」、全農林労働組合『農村と都市をむすぶ』2015年７月号。なおこの雑誌はネットで全農林のホームページに入り読むことができます。

（７）朝日新聞大阪版朝刊2018年11月８日。

やくなされた結果です。小水力発電は発電地点が当然だが山間部に多く、電力会社の送電網への接続の難しさが小水力発電の実現を妨げる要因になりやすいのです。上記はそれを解決した事例ですが、電線自体が近くにない、あるいはすでに送電網に空き枠がない、といった理由で断られている事例は極めて多いのです。

　さらなる小水力発電の拡大のため、接続問題がどう解決されるか、注目されます。日本海沿いの風力発電の展開で、北海道と本州との連系線の強化が注目されます。九州と本州との連系線も大事です。しかし同時にそうした連係線や複線化だけではなく、地域内の系統や地域を超える連係線など、本腰を入れた送電網の強化が必要になっています。空き枠の柔軟な利用など、喫緊の課題です。送電網の拡充には「大手電力会社の消極的な姿勢」が今までは妨げになってきたとして、政府もようやく地域間送電網の強化・複線化に注力し、再エネ普及の後押しのため計画を策定すると報道されています[8]。またこれに加えて、安価な蓄電という技術革新をベースに、地域の分散電源として再エネのより有効な利用という方向も急いで対応すべきでしょう。

（2）普通河川に絞った取り組み

　公的機関や民間の調査で小水力発電の可能な箇所が指摘されているところはきわめて多いのです。その中で実現させた一つに、鹿児島県の大隅半島にある肝付町の船間（ふなま）発電所があります。これほどの落差を持つ発電所適地が残っていたとは珍しいように見えますが、最大の理由は、崖の上を走る河、そこまでの道路が不十分で資材を運べなかったからなのです。これが最近の国道整備で可能になり今回初

（8）日本経済新聞2020年10月31日朝刊。

めて本格的な発電所設置となりました。

　戦後近在で小規模な発電所設置の試みがなされ、当時を知る村人は
それを使っての野外映画会などを記憶しています。しかしその後、電
力会社の送電網が整備されたので、それを契機に廃止されたとのこと
です。この小規模な発電所は記憶の中にしかなかったのですが、それ
を見出し、開発にまでこぎつけたのは、県の地元有力企業が主たる株
主になっている九州発電（鹿児島市）の仕事なのです。

　2014年に発電を始めた鹿児島県大隅半島肝付町の船間発電所は、発
電した水は目の前の太平洋に落ちます。取水は崖上の道路沿いにある
馬口（ばくち）川の上流の堰からであり、205mの落差を一気に落と
します（図1）。水圧鉄管はこの崖が急角度のため地中に入れ、角度
を緩やかにして危険性を避け
ています。最大出力995kW
（年間630万kWhで一般家庭
2,000世帯分）なので15億円
の総工事費でも収支があいま
す。売電先は九州電力ではな
く東京の特定規模電気事業者
で固定買取価格よりも数円高
く売っています。

　注目すべきは、馬口川が普
通河川 (9) なので、町長と相
談し早期に水利権を設定でき
たことです。普通河川は町長
から水利権を得れば周年の取
水が可能なので、事業にすぐ

図1　発電に水を回し石だけになった鹿児島
県肝属町の馬口（ばくち）川

に取り掛かれます。九州発電はこうした発電はメリットがあるとしてさらに事業を広く拡大しようとしています。鹿児島県霧島市にある第2号の重久発電所（980kW）は2級河川ですが、建設した3か所はいずれも鹿児島県内の普通河川であり、800～2,000kWの規模の大きい小水力発電所なのです。40か所を南九州で同社は調査中としていますが、他地域でも同じ事業の調査を進めており、普通河川でまだまだ開発適地が多くあることを示した意義は大きいです。ただし系統接続が出来ないため開発に入れないところが未だ多いのです。

（3）期別規制の農業用水に発電水利権を取得した例

　主要河川である1、2級河川での小水力発電は、国土交通省に発電水利権を申請しなければなりません。今は県に移管されていますが、規制緩和で、農業のかんがい水利権に従属した、すなわち、かんがい水利権の水量の範囲内におさまったところの発電水利権であれば、従来と異なり、早期の水利権の許可が期待できます。新規の発電水利権を取るには少なくとも数年を要すると言われていた中で、この規制緩和の意義は大きいです。

　しかし問題は、期別規制により、農業用水そのものの取水時期とその取水量が限定されているかんがい水利権が全国には多いということです。1965年の河川法改正での措置ですが、高度成長時に必要な上工水（飲み水の上水と工業用水）の確保のため、慣行水利権と同じくそれまでは許可水利権も通年で同一取水量の水利権を持っていたものを、これを変えて時期別に取水量を削減したのです。さらに稲作時期以外

（9）一級河川、二級河川、準用河川は法定河川ですが、普通河川はそのいずれでもない法定外河川を指し、河川法の適用を受けません。市町村が通常管理しています。

の取水は必要無いとして、非かんがい期の水利権をゼロにされた所が、あらためて許可水利権を得たところの3〜4割もの多さにのぼるといわれています。また冬季に水利権が残ったとしても、維持用水程度の取水量の少なさにおさえこまれています。これでは落差があって発電が可能な量の水量が流れている場所でも、発電時期や取水量が限られるので工事費等の回収が難しくなります。それで発電をあきらめているところが多いのです。

　河川に発電後は水をそのまま返すということが水力発電の特徴なのですから、水利権を持っている下流の関係者や内水面漁業者の同意を得たところでは、期別規制で削減された河川で、削減された流量の取り入れに相当する新規の発電水利権の認可は大胆に認められるべきです。

　そしてようやくそういう事例が出てきました。ここでは2013年から稼働し始めた富山県南砺市山田新田用水発電所（事業者は小矢部川上流用水土地改良区）を紹介しましょう。農林水産省地域用水環境整備事業の補助を受け整備された同発電所は、冬期間使用していなかった農業用水路を活用して取水し、発電することになりました。25.2mの落差から生まれる電力は最大出力520kWであり、年間257万kWhの供給電力は一般家庭612世帯分に相当しています。総事業費は6億1,700万円でした。

　図2は、取水堰（第1頭首工）から水を取り、山田新田用水として稲作に水を供給してきたことを示しています。そしてかんがい期であっても降雨の時とか、あるいは非かんがい期では稲作は水を必要としないので、分水地点にあるヘッドタンクで水を水圧管路に入れて発電所に送り、発電した後には小矢部川に戻すことを示しています。またかんがい期であっても、常時、最大取水量を使っているわけではな

図2　山田新田用水発電所の発電概念図

出所：スマートジャパン・エネルギー列島 2014 年版より。もともとの出典は
北電技術コンサルタント株式会社・富山県砺波農林振興センター。

いので、取り入れ口の最大の大きさや用水路の水路断面の最大の容積
を使いきれているわけではありません。**図3**は、網掛の部分が稲作用
のかんがい期の水利権を示し、これは従来から持っている許可水利権
になります。この時期に降雨等で稲作が水を必要としないときは発電
に回しますが、これはかんがい水利権に従属した発電水利権を今回取
得したことで可能になったのです。

　しかしここの特徴は、これに加え、網掛ではない部分、農業用水に
従属しない発電水利権を新たに取得したことであり、その水利権の取
水量が示されています。5月の代かき・田植え時期はかんがい用に最
大2.98㎡取水可能です。堰や用水路の大きさはこれに合わせて作られ

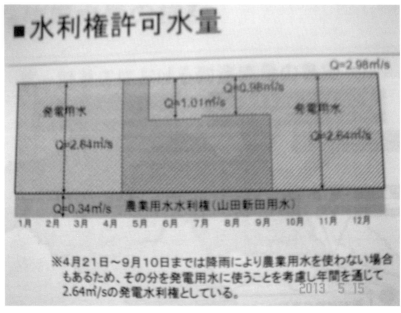

図3　富山県南砺市山田新田用水発電所の農業用水及び発電用水の水利権許可水量

ています。図ではかんがい用の水利権は期別規制で網掛部分になっています。しかし小矢部川には十分な水量は流れているので、発電使用水量として最大2.64㎥が取水可能であることが図では示されているのです。すなわち非かんがい期（9月11日から4月20日）は2.64㎥をフルに使うことが出来て、かんがい期（4月21日から9月10日）には降雨等で農業用水が不要な場合は発電側に水が回ることになります。

　このための水利権協議には、予備協議に約1年、本協議に約2年を要しています。この地域全体で土地改良事業が行われている時期に、発電事業を計画変更で入れた地域だったので、協議時間としてはそれでも短い時間で済んだといわれています。新規発電水利権の協議だけ

だともっと時間がかかるといわれています。規制緩和の現れ方はまだまだ弱いといわざるをえません。

　これに対して、より早く発電水利権を獲得した事例が出てきています。山形市にある最上川水系馬見ヶ崎川から取水し発電を行っている最上川中流土地改良区（発電所は同土地改良区出資の株式会社山形発電が営む南舘発電所）です。吉村美栄子知事（当時）の示唆で、3〜5月の融雪出水期の増量分を対象とした新規発電水利権を国土交通省に交渉し、11か月で権利を取得しているのです。この結果、最大出力が従来の594kWから1,374kWに上がりました。これは新規発電水利権の協議時間としては短いものです。知事の関心の強さが反映しているのでしょう。

　全国で新規の発電水利権をかんがい水利権に上乗せするとして協議している箇所は30近くあると聞いています。この二つの例にとどまることなく、新規発電水利権を大胆に取ることが望ましいといえるでしょう。

　2013年にようやく時代に対応した河川法手続きの簡素化・円滑化・迅速化がなされ、これにより小水力発電が増えることが期待されました。既得の農業水利権内であれば従属発電用水利権として登録制になり、慣行水利権を利用した従属発電用水利権も認められました。また新規の発電用水利権取得の簡素化などの改革もなされました。この改革は大きいです。その中で非かんがい期の新規発電水利権の取得は、発電所にとって収益改善の大きなカギとなります。大胆にこの改革による成果を実現すべきなのです。

　2013年4月から知事に許可権限が委譲され、従属発電は許可制から登録制に同年12月になっていますが、この仕組みで劇的に小水力発電が増えたように見えません。2016年3月に出された国交省『小水力発

電のための手引き』は事例を紹介している便利なもので、ネットで見ることができ、改革の利用に活用できます。

　なお新規の発電水利権を求める場合でも、今あるかんがい水利権の従属の範囲内で先ずは発電事業を先行させ、水量が少ないかんがい期については、工事と並行して新規の発電水利権を求める交渉を行う方式も考えられます。それが認められた時の売電価格は、従属で始めた当初の価格が適用されます。ただし調達期間の年数は当初からの20年の計算の範囲内にはなりますが。

3. 専用水路を持つ中国地域の歴史ある発電所

（1）固定買取制度を適用するには

　中国地域には、他の地域と異なり、1952年の農山漁村電気導入促進法（以下、導入促進法と略称）で導入された小水力発電所が多くあり、今でも活躍しています。電気の来ていない農山漁村に国の制度融資で電化を促進したのですが、中国地域では地元関係者の努力、電力会社等の協力もあって当初は100近く設立され稼働したのです。

　この状況を応援しながら、広島にあるイームル工業の社長であった織田史郎氏は戦時中では中国配電（現在の中国電力の前身）の役員をしており、以下のことを考えておられました。戦後、電気が来ていない農山村に制度融資を借り受けて自ら発電する動きが広がってきましたが、他方、電力会社の送電を通じて安定した電気が地域に来ると、こうした自力での発電はその多くが閉じることになると心配されたのです。

　この廃止の動きに対して、織田氏は中国電力にそれらの電気を、他の地域ではなかった全量購入方式で買わせることにより小水力発電所

を維持し、その収益で地元に貢献することを考えられたのです。この仕組みを中国電力は理解し、長く購入の仕組みを維持し、地域の小水力発電の継続に大きな貢献をされたのです。

　村で発電を起こすということは、その多くが、河川に設ける発電水利権を旧建設省に申請して取得し、堰を設けて取り入れ、水路を延々と引いて落差を確保し、発電することを指します。しかも通年の発電水利権であり、かんがい水利権と異なり、期別による規制は無いのです。中小河川を利用し、導水路で遠くから水を引き、落差を設けて発電するという、仕組みとして堂々たる発電所を地域の関係者が多数作り上げたのです[10]。

　それらの小水力発電所は、それを維持する織田史郎氏の努力があったものの、1975年代以降の火力発電所の展開等との関係で廃止されたところも出て来て、2012年現在ではピーク時の約半分の53（中国地域ではこの他に県企業局や電力会社の発電所もあり、合計で100近くの発電所が動いています）に減っています。2012年の時点で29事業者が53の発電所を経営し、出力平均192kWの小水力発電所を動かしています。この2012年現在で中国小水力発電協会に加入している正会員は29、施設数は53になりますが、建設年次別に見ると、戦前1、昭和20年代12（なお大半が1952年以降）、30年代31、40年代8、平成元年1、となっています[11]。やはり昭和30年代が多い。なお小水力発電事業者は協会に皆加入していますが、農協から民間が譲り受けた発電所

(10)　従来の発電方式はダム式、ダム水路式、が頭にすぐ浮かびますが、これ以外に、近年は河川利用の流れ込み式、農業用水利用の投げ込み式、土中埋設管路方式、また上下水道利用の送水管バイパス方式など、様々な方式が採用されるようになっています。本書で紹介している中国地域の小水力発電の多くは河川に堰を設けて取水し、落差のある所まで引っ張って来て水を落とす発電形式です。

図4　農業用水路の水を真上まで引いて半世紀稼働した鳥取市用瀬（もちがせ）
　　　町旧別府（べふ）発電所

（農協が2基の小水力発電を譲渡した事例があります）の民間事業者
は加入するのかどうか、この時点では不明でした。

　そして多くの発電所は地域の組織である総合農協や電化（専門）農
協、土地改良区、市町村等によって営まれており、その数は全国の中
で中国地域が突出しています。再エネの代表ともいえる河川を利用し
た水力発電を、個々の規模は小さいが多くの発電所が稼働している状
況は貴重だといえましょう。他の地域のモデルになります。図4はそ
の一つ（今は新しい発電所に置き換わっている旧発電所）であり、鳥
取市用瀬町にある別府（べふ）電化農協によって営まれていたもので

(11)『中国小水力発電協会60年史　自然とともに、地域とともに』（中国小水
　　　力発電協会、平成24年9月発行）。

図5　FIT で更新できた新別府発電所

す。これを固定買取に乗せて更新し、新しい発電所に生まれ変わっています（**図5**）。

　これらは各地で取り組もうとしているかんがい水路を使った発電や中小河川利用の先駆例として位置づけられるものでしょう。また過去に廃止した後の箇所を復活させ、新たに発電所再設置を検討しているところも現れています。

　今稼働している発電所はすでに60年前後の歴史を踏んでおり、固定価格買取制度発足の時期は水路を含め更新の時期に来ていたので、すべて更新されるものと期待しました。

　電力会社への売電単価は、中国電力と皆が加入している中国小水力発電協会による数年毎の交渉で、決まっていました。最近はほぼ10円

前後であり、この単価は総括原価方式 (12) で決まっていたとはいえ、収支ぎりぎりの発電所が多かったのです。農協であれば他部門からの応援ではじめて成りたっていたところが多いといわれていました。

その意味で、200kW未満の小水力発電所の1kWh34円の調達価格（税別）・20年間、そして200〜1,000kWの小水力発電所は同じように20年間の29円と、今までの売電価格の3倍強になる固定買取制度の調達価格は大変魅力的です。なお1,000〜5,000kW未満27円、5,000kW〜3万kW未満は20円となっています。

だが今回のFITは新設を対象にしたものであり、中国地域の歴史があるとはいえこれらの発電所は更新なので、新設ではないから対象外という扱いを受けそうになったのです。

しかし、この点は後に述べますが、関係者による経済産業省等への働きかけで、買い取り対象になりました。ただし基本は新設と同じように設備等を一新させることを条件としたので、既存施設の更新であっても固定買取の対象になったのです。中国地域の古くからある発電所、すでに更新すべき時期に来ているにもかかわらず、今の安い価格では更新できない発電所ばかりであったので、買い取り対象に入ったことは画期的なことです。

ただし、200kW未満が大半であるこれらの発電所が、全くの新設ではなく更新であっても、固定買取りの対象になることになり大いに

---

(12) かかったコストを原価とし、それに一定の報酬率を載せて決めるやり方です。電力料金はこの方式で決められていましたが、電力会社が購入する場合もこの方式を利用しているわけです。ただしどの範囲までをコストとするかなど、折衝の余地は大きいです。なお電力の小売全面自由化が始まりましたが、消費者保護のため料金規制経過措置が執られており、小売電気事業者間の競争が十分に進展するまでの間は、消費者にこの方式の電気料金で電力会社から引き続き提供されています。

期待したのですが、その中でとりわけ、発電規模が小さくて導水路の長い発電所は困惑していました。そろそろ更新すべきとはいえ、導水路もすべて更新しなければならないとなると大変な費用がかかるからです。高価格による買取りというFITの仕組みであっても、その調達価格のコスト計算には発電規模に比して長距離の導水路の建設費は十分には含まれていないからなのです。

　なお買い取り制度が出発した2012年度以来、価格を引き下げて来た太陽光と異なり、小水力発電は同じ買取り価格を保っています。

　そして2014年度から中小水力発電の固定買取価格に新しい価格ランクが導入されました。すでに設置している古い導水路をそのまま活用し、電気設備と水圧鉄管のみを更新する場合は、その調達価格を200kW未満は9円安い25円、200から1,000kW未満は8円安い21円、1,000から5,000kW未満は12円安い15円、5,000kWから3万kWは8円安い12円という既設導水路活用の中小水力発電ランクが新たに設けられたのです。古い発電所が今回の買取り価格の対象になるためには新設と同じように、発電に必要な施設をすべて更新することが条件なのですが、その中の導水路だけは従来のものをそのまま使用する場合、買取り価格を引き下げたのです。

　というのは、200kW未満の場合では、従来のkW当たりの資本費100万円の内半分が電気設備と水圧鉄管の費用に当たるとして、古い導水管利用は残りがそれに相当するものとして、9円差し引くという理屈なのです。

　しかしこの9円の計算適用の事例は、長距離の導水路のそれを想定したものではありません。ために多くの200kW未満の既存の水力発電所は、34円の適用を受けて、発電機、水車、鉄管、上屋などの更新は可能だとしても、導水路を全面更新する工事費を賄えるだけの水準

では全くないのです。これは困りました。60年も経過すると、発電設備や鉄管だけではなく、導水路もかなり改修しないと長期的には持たないことは指摘できます。だが結構長い距離を引いてきている中国地域の古い発電所の導水路は、谷を越え山腹をぬっておりこれをフルに更新するとなると、相当な工事費がかかります。

　そしてもともとこうした長い水路の工事費を入れた調達価格にはなっていないので、導水路を他の公的な事業費補助で賄うならともかく、更新を買取り価格の中で行うことは難しいところが多いのです。このままだと更新をあきらめるところが多く出てしまう。規模の小さな発電所の売電では、調達価格の新規設定やその引き上げ、あるいは調達価格のコスト計算に入っていない部分の更新は、他の事業で補うなどの政策の工夫が必要になるように思われたのです。

　それを見たのが**表1**です。更新と左欄に表記したのが、工事費が固定買取価格による収入で回収でき採算が合うので、更新に取り組むとしたものです。①③とすでに更新済みの⑤は更新の対象になります。ただし、①は、導水路が農業用水と兼用なのでこの更新を土地改良事業関係で行うこととして、発電所更新の負担から外すことが出来ました。それで採算がかなり合うようになったのです。総合農協の③も基本的に同様です。

　しかし②は導水路が発電専用水路であり、しかも1.8kmと長い。これを、半分以上の更新であれば新設とみなすとの国交省の示唆（当時）を受け止めて水路更新と堰の更新を見積もってもらったのが表の建設費の数字です。それらを除く水車や発電機等の工事費190百万円では採算が合うのに、水路や堰の更新を入れたらとても採算が合わないというコンサルタント（以下、コンサルと略称）の報告（後に述べる電力系コンサル）だったので、表の？マークになっています。④も

表 1　中国地域内の電化農協等（広島の②以外は鳥取）のいくつかの取組

所在・名称	発電出力（kW）		現在の売電収入（千円／年）	建設費（百万円）	更新後の売電収入予定（千円／年）	備　考
	最大	常時				
①電化農協・更新	167	117	9,000	260〜230（水路工事は別途）	32,560	
②電化農協・？	95		8,650	190（水路 1.8km：150百万円、堰堤：100百万円等は別途）	19,000〜21,000	
③総合農協・更新	130		10,000 弱	290（水路工事は別途）	28,000〜36,000	
④総合農協・？	70		4,000	不　明（水路工事は別途）	22,000	水量が不安定
⑤土地改良区・更新・	90		7,000	190	22,000	地域用水環境整備事業（農林水産省）

資料：堀口の聞き取りを主に作成。なお発電出力は中国小水力発電協会『中国小水力発電協会60年史』（2012 年）による。

同様の？であり、別途の方法を考えざるを得ないとのことでした。これらを受けて、特に水路の更新のあり方を含め、建設費を下げさせて更新に持っていこうとする地元の努力がこのあとから始まります。

　2015年 6 月初旬の中国小水力発電協会の通常総会の報告では、その時点の会員の発電所数は50か所（この間、事業を譲渡して脱会した 1か所を除くとこの数字になります）、この内、固定買取対象の新規扱いにするために、更新済みか、更新に踏み切ることを決めているのが31、残りの19が未定ないしあきらめて今のままを継続するか（そして機械等が壊れれば発電所の事業をやめることになります）、譲渡するかを検討しているとのことでした。

　これについて、筆者は更新とはパーツごとに更新を特定すべきで、それも必要な更新に限られるべきであること、長い導水路も同様で、更新が必要な個所、そのまま使える個所に分け、対象を限定すべきこ

とを総会で述べました。

　そのうえで、発電専用水路といえども多面的機能も持っているので、土地改良事業関係だけではなく、防災関連の事業で別途支援する方策も考えられることを述べました。

　こうした苦境の下で、2017年３月にエネ庁が「固定価格買取制度における既設の水力発電設備の更新に係る認定の考え方について」という文書(13)を出します。この中で、導水設備（導水路、沈砂池、水槽・ヘッドタンク等）及び放水路等については、下記の長さ以上の更新であればよいとしたのです。すなわち200kW未満の発電所であれば100m以上、200kWから1,000kW未満は500m以上、5,000kW未満なら1,500m以上、３万kW未満なら3,000m以上とした文書です。ある距離を超える更新であれば、認定の際に「更新されている」としたのです。助かった、といえましょう。今回の認定で最低限の長さの更新だけを行い、調達価格で売電できるので、それ以降に導水路の修理や保持を考える余裕ができるようになったのです。これにより、この仕組みを使って、多くの小水力発電所が、特に後に述べる鳥取県等では、申請することになります。結論を先に言えば、後に述べる鳥取スキー

---

(13)固定買取の下で、発電設備の新設又は既存設備の全更新を対象とした「新設区分」と電気設備と水圧鉄管を更新する「既設導水路活用型区分」（27ページを参照）の２種の区分で、工事の内容や範囲の考え方を整理した文書です。新設区分の場合、発電の用に供する設備全てだが、「ダム・堰等の取水設備については、設備全体の更新が現実的に困難である場合は、工事内容を発電の継続に必要な補修に留めるものについても対象とする」、また、導水設備は最低の更新の長さをクリアすれば、更新とみなされ対象になることになりました。なお工事範囲では、農業用水等、発電以外の用途の目的をもった設備との共用であれば、更新対象に含まない、となっています。このことにより、安い調達価格の既設導水路活用型ではなく、新設とみなされ高い調達価格を適用される道が既存の発電所に開かれたのです。

ムで更新した発電所には、安い調達価格の既設導水路活用型で更新し
たものはないということです。すべて新設で高い調達価格です。

　なお中国地域で最多の小水力発電所がすでにある広島県では、今回
の更新の動きの中で既設導水路として更新してしまった発電所が結構
あるようです。

（2）具体化・拡大するための施策

　農水省は、土地改良事業である補助事業で小水力発電の工事費を支
援する仕組みを工夫し、今も機能させています。ただし、固定買取価
格の中には要素として工事費の資本費を含むので、農水省の事業費補
助を受けた場合、固定買取で売電して得られる収入の資本費に相当す
る部分と農水の補助金が、２重取りに見える恐れがあります。そのた
め、この部分を、県に関係協議会を設置し、それに期間をかけて寄付
して、県全体の発電の支援費に充てる仕組みが決まっています。

　補助事業は、土地改良の総合計画の中で発電をその中に入れ支援す
る仕組みと、発電所単体でも支援する仕組みと、両方を揃えているの
で、大いに期待されます。ただしこの補助事業は、農協やNPO法人も、
土地改良区や市町村と同様に、使えますが、固定買取制を利用した売
電はできないことを要綱で定めています。残念なことです。

　すでに述べたように地域的要素を強く持つ専門農協である電化農協
や、あるいは総合農協により、半世紀も維持されてきた貴重な発電所
であり、これに農水省の補助事業が適用されないのは惜しいことです。
要綱には、土地改良区や市町村と並んで県知事特認で補助事業の対象
とすることが述べられているので、この仕組みを使い、固定買取の売
電が農協系も可能になるようにすべきだと指摘しておきたいと思いま
す。

　そしてそれ以上に大きな問題は、取り組みの最初に行うコンサルの調査、その報告の採算性検討の中にある、水車や発電機等の見積もりです。十分に競争的なものか、また土木工事等が妥当か、セカンドオピニオンや相見積もりを含め、慎重な検討が望まれるところです。

　1社だけの報告で結論を出すのは危ういといえましょう。小水力発電を持つ電化農協や総合農協は、それまでの中国電力との歴史的関係や支援がその要因のひとつになっているのでしょうが、長く維持管理や修繕等は関係の会社に依頼し、またコンサルも電力系のコンサル会社や、水車はE社、発電機はM社、という固定的な関係が続いてきたと見られます。後に述べるように鳥取では他のコンサルを入れ、水車や発電機も他のメーカーが入っている状況下にありますが、他では従来の関係を変えず、コンサルが採算は合わないとすると発電所の更新をあきらめる傾向が強かったのです。

　コンサルによる採算が取れないとされて更新をあきらめた農協の古い発電所を、企業が希望して手をあげ譲り受けたケースがあります。農協は更新と継続をあきらめ、譲渡したのですが、譲渡を受けた企業は採算があるから引き受けたのでしょう。そのような場合の採算の計算をも参考にしながら、現在事業を行っている総合農協や電化農協では、諸費用のチェックなど、総合的な検討が必要なことを強調しておきたいのです。

　すなわち小水力発電のそれぞれの価格等の水準について、国の内外（輸入の発電機や水車）を含め、需要者はより競争的な水準を追及すべきだと筆者は考えています。これらの中国地域の小水力発電所は、すでに発電水利権を持ち、系統接続もできており、更新できる条件の多くが出来ているのです。新規に小水力発電所を立ち上げるのと比べて、難しい条件がすでに解決済みだからです。さらに一段の工夫や努

力をすることで、固定買取に更新できるすべての発電所が入れるようにしてほしいのです。

　さらには、リース制の導入、低利・長期の金融、さらには必要な他資本の導入など、検討すべき項目は多いです。あきらめることなく各種の工夫をして、全国のモデルになってほしいのです。これらについては成果が出ていますので、章をあらためて述べることにしましょう。

　なお岩手県で筆者が話を聞いた一つの事例（岩手県中部土地改良区）ですが、ため池からの水を21mの落差を利用して138kW発電する発電所についてです。これを計画したのですが、すでに先に申請したメガソーラーで系統接続の受け入れ容量が一杯との理由により、電力会社から系統接続を断られているケースなのです。他の変電所まで自力で電線を引いてくるなら受けるとか、その場合は送電線を15km以上引く必要があり、事業費が2億円から数十億円になるという話です。とても採算に合わない。地域の諸団体や土地改良区のような地元団体が安定電源である小水力の再エネに取り組む場合は、系統接続にそれらを優先するなど方策を考える必要があります。安定電源の序列を考慮に入れた系統接続の順序の工夫が求められています。系統接続に関して空き枠の検討がなされていますが、これらのあきらめた小水力発電などの計画を優先させるなど、対応を考えてほしいものです。

　また最近は市町村が将来の電力自由化を踏まえて新電力会社の創設を考え、電力やエネルギーの地産・地消をうたうところも出て来ていますが、地域の小水力発電は大いに貢献できます。売電先を従来の電力会社だけに継続するのではなく、より高い買い値を出す新電力も対象に入れるべきです。

　さらに今後は蓄電技術の期待される進化でコスト安く電気をストックする技術が広がり、また地域に電気を販売することは、電力自由化

で新電力会社を通じ広く可能になる時期に至っています。開発可能な電源をあきらめることなく、数年先を見据えての活動や計画を地域で維持すること、さらにはそれを後押しする政策が早急に求められているといえます。

　その意味で、中国地域のような、発電専用水利権を持ち長年の実績を持つ先進的な小水力発電所の更新を、固定買取に乗せることが出来ないような制度は、本来の趣旨に沿っていないと断じるべきでしょう。固定買取制の仕組みの方を改善すべきなのです。

4．従来型コストを切り下げた「鳥取・小水力発電スキーム」

（1）県土連の支援で立ち上がった別府発電所

　そのような中で、鳥取県土地改良事業団体連合（県内の市町村と土地改良区が会員の、土地改良法に基づいて設立された公法人：県土連と略称）は県庁と協力し、農水省の調査補助金を使って、鳥取市にある別府電化農協の60年間経過した発電所の更新を応援して来たのです。農協合併時に集落を基礎とした発電所（それまでは旧農協が事業主体）を独立・経営させるため、地域の人達は電化農協を立ち上げたわけです。専門農協を作り、ここが発電所を運営するので、総合農協から切り離し発電所を維持してきたことになります。

　しかし固定買取に乗せるのに必要な調査や申請の仕方について知識のない電化農協にとって、専門家が揃う県土連は救いの神でした。山林の財産区[14]からの収入とあわせて発電所の収入が入る別府集落は、若い人や世帯数（2016年は141戸、20年前の1986年では113戸[15]）が増えていることに自治体関係者の注目も集まっていましたが、その仕組みが県土連の応援で続くことになったのです。

　さらに他にも応援する対象の発電所もあり、県土連の仕事を先ず見てみたいと思います。また他県にある県土連の中にも同様の支援を行っているところがあるのはうれしいことです。

　県土連への紹介を行ったのは後に述べる鳥取県小水力発電協会会長（当時）の杉原氏であり、このアドバイスは大きかったようです。別府発電所の更新の取組の発端から杉原氏は相談に乗っており、県土連への紹介はそれ以降の着実な展開に繋がります。

　別府小水力発電所は、新発電所竣工記念のパンフレット（2017年2月11日発行：「地域による地域のための小水力・別府小水力発電所の歴史」）によれば、旧発電所は1954年に立ち上がり、2015年でその役目を終えることになりました。出力117kW、導水路の長さ800m、鉛直水塔の高さ12.1m（**図4**に見るように農業用水路からの水を発電所の屋根の真上まで導水し一気に落とす仕掛けです）、水量は毎秒1.4㎥、水車はE社製のフランシス双輪水車、発電機はM社の三相誘導発電機で、中国電力に売電していました。

　これが2017年の新発電所に代わることになり、出力は134kWに増加しています。更新ではあるものの、受入れ発電量が増えたのは珍しいのですが、今までのデータもあり契約送電量の引き上げを中国電力は認めています。一般的に言えば、発電機等もより効率的になり、また他の条件が改善されて、従来の発電量と比べて増加すること自体は望ましいことだと考えるべきなのです。電力会社は電力受け入れの更新にあたって、契約電力量の増加は認めないのが方針のようです。しかし社会にとって再エネ電力の増加は歓迎されることなので認められ

---

(14) 市町村の一部が山林等の財産を有することにより一定の利益を維持する
　　権利の保全を目的として、住民が構成員になる特別地方公共団体のこと。
(15) 別府集落活性化委員会『別府の歴史』平成30年3月1日。

るべきでしょう。

　別府発電所の導水路の長さは800ｍと変わらず、有効落差は11.7ｍとなっています。今回は効率化のために水圧鉄管を地中に斜めに入れ、また発電所の中の発電機をより深い位置に据え付けることで落差を確保しています。水量は毎秒1.4㎥と同じで、水車はS型チューブラ、発電所は8Ｐ三相誘導発電機、いずれも三井三池製作所製です。E社の水車、M社の発電機、という組み合わせが中国地域の古い小水力発電所のほとんどがそうであり、また今回の更新で入り始めた他県の発電所ではこの組み合わせが再び出てきていますが、別府発電所は三井三池製作所になっています。重電メーカーの参入があったことの意義が大きいことは後に説明します。

　この竣工式に配布されたパンフレットには、役目を終えて解体された旧発電所、その旧発電所の立ち上げには地元の人の多大な努力がなされていたことが紹介されています。総工費1,700万円のうち1,300万円は農協理事が自らの水田を担保にして借り入れ、残りはこの地域の財産区の山を売ったり、各戸からの出資でまかなったとのことです。導水する農業用水路は当時の水路幅が細いので、村人総出で拡幅しますが、その工事に従事した苦労話も書かれています。

　最初の事業者は地元農協でしたが、1994年に農協が広域合併するので、この発電所を維持・管理する主体として別府電化農業協同組合が新たに設立されたのです。農協なので農家は正組合員、非農家の住民は准組合員として、住民全員が参加する組織にしており、今もそうなっています。農協だが住民の自治による組織としての農協なので、前から存在している、地域の山を主に管理する財産区と機能はほぼ同じです。山と同じく発電所は村の財産なのです。山村というものは、財産区が典型的ですが、区有の財産の一部を売却したりして町内会の

機能を応援したり、これらの機能が村の底支えをしてきた歴史があります。そして別府集落では、財産区に加えて、その機能を果たすものを、もう一つ、すなわち自前の発電所を持っていたことになります。

（2）更新の仕組みと地域への貢献

　この旧発電所は、全量、中国電力へ売電し、年間収入は、近年、約1,000万円前後でした。これから維持管理費などを引いた後の350万円余りを地元に寄付し、発電所建設以来、変わらずに地域に還元してきたことが発電所の誇りになっています。防犯灯、公民館活動、慰労会、運動会など自治会の活動に役立てており、道路や生活排水路、農業排水路等の整備、集会所の建設費の一部支援など、地域の活性化に貢献してきたのです。

　新しい発電所が立ち上がった以降に開催された2018年4月15日の第24回別府電化農協通常総会議案によると、2017年1月5日より中国電力への売電が再開されています。この総会に正組合員50名のうち31名が出席しています。この他に非農家の住民が68名准組合員として加入しています。

　他から移ってきた新しい住民は1戸当たり10万円を地元に払い、財産区およびこの発電所に関与でき、それらが提供する住民サービスを受けることが出来ます。10万円を払えない場合は3年間、無償の共同作業参加という選択肢もあるとのことです。なお住民が他の地域に引っ越した場合は、この10万円は返却しない形になっています。なお電化農協は1人1万円の出資が必要で、これは正・准組合員ともに同様であり、他地域に出る場合は出資金は返還されます。

　県土連が別府発電所基本設計業務を共同で受注した先は株式会社荒谷建設コンサルタントでした。大正時代に創業した広島に本社を置く

土木建設コンサルタント業務の会社です。中国・四国に主要な拠点を置く独立系の会社ですが、後に説明する「鳥取・小水力発電スキーム」(以下、鳥取スキームと略称)に加わっているコンサル会社です。

コンサルとしての報告である2013年度別府発電所基本設計業務報告書には、詳細な調査を踏まえた建設費の計画が提示されています(**表2**)。別府電化農協の要請で、地元への支援金として毎年600万円(地元活動支援金500万円、災害積立金100万円)の額も入れて、それに応えた収入と支出の計算(表は略)の検討がなされています。以下では建設費の回収だけではなく、収支の中身、すなわち経済性の検討である収入と支出の中身をみてみましょう。

表2の上段で示された工事が行われたとして、初年度の年間の収入は3,260万円(発電電力量・年95万7,618kWhに売電価格kWh当り34円を乗じたもの:発電電力量は出力134kWを平均1日20時間弱の稼働として365日を乗じたもの)、以降は同じ額の収入が20年間続く計算が示されています。

支出は以下になります。なお下記にある簿価とは、**表2**の上段の合計金額2億5,642万円がそれにあたります。

減価償却費1,282万円(簿価の20年定額償却の1年分)、利息269万円(機械設備及び電気工事費の1.8%)、人件費40万円(簿価の0.17%)、修繕費73万円(初年度は簿価の0.31%、それ以降は年増加率が簿価の0.019%:他の支出と異なり修繕費は毎年増えて最終年の20年目は163万円)、その他経費80万円(簿価の0.31%)、一般管理費23万円(固定資産税、人件費、修繕費、その他経費の合計額の12%なので初年度は23万円だが毎年増加し最終年は34万円)、維持更新費759万円(オーバーホール費が電気関係費の15%、配開装置費が電気関係費の5%)、支援金等600万円(地元活動支援金・年500万円、災害積立金・年100

表2　別府小水力発電所建設費の経済性の検討

	工種	単位	金額	備考
工事費	1）機械設備・電気工事	1式	158,700 千円	水車・発電機・変圧器・遮断器・制御盤等（据付工事費を含む）
	2）土木建築工事	1式	57,720 千円	土木建築解体構造物等工事
	3）除塵機工事	1式	20,000 千円	工事費含む
	小計		236,420 千円	
設計費	1）詳細設計・関係機関協議	1式	15,000 千円	許認可手続き含む
	2）施行監理	1式	5,000 千円	施工管理、各種手続き、工事発注準備等
	小計		20,000 千円	
	合計		256,420 千円	

	工種	単位	金額	備考
工事費	1）機械設備・電気工事	1式	135,500 千円	水車・発電機・変圧器・遮断器・制御盤等（据付工事費を含む）
	2）土木建築工事	1式	57,720 千円	土木建築解体構造物等工事
	3）除塵機工事	1式	16,000 千円	工事費含む
	小計		209,220 千円	
設計費	1）詳細設計・関係機関協議	1式	15,000 千円	許認可手続き含む
	2）施行監理	1式	5,000 千円	施工管理、各種手続き、工事発注準備等
	小計		20,000 千円	
	合計		229,220 千円	

万円）が示されています。そして省略した収支表では減価償却費と支
援金等を支出合計に入れていません。その二つを除いた支出合計が初
年度1,244万円（最終年度は1,345万円）で、その結果である残り（「収
入−支出」であり所得と表現されています）が2,012万円（最終年度
は1,911万円）になります。これから法人税（初年度は298万円、最終
年度は257万円）を払った残りが利益（「所得−税」）になり、初年度
1,714万円、最終年度1,654万円になっています。この利益を、全額、
借入金の返済に充てるものとして、初年度だと簿価から初年度の利益

1,714万円を引くと 2 億3,928万円となり、これが借入残高になります。これを繰り返していくと16年目で完済し、それ以降は利益が積みあがっていく計算です。最終年の20年目は8,008万円のプラスの残高になっています。しかしこのやり方では600万円の支援金等が出てきません。そのため支援金を残すためには借入金の返済を20年にのばし、毎年の返済額を引き下げる必要があるのです。そして返済額を減価償却費分以下におさえこむことが求められるのです。

　なお後にみるように、実際の借入額は 3 億円になりましたし、その内訳は後に掲載される**表 3** にみるように、機器及び工事費だけではなく、消費税、実施設計料、残債繰上償還費、さらに予備費を入れているので、収支表からいえば、20年目に借入金を実際に返し終わるやり方になります。そして毎年支援金等を確保しながら、21年目には十分に今後も使える発電所と関係施設という資産が残ることになります。

　もっともそれからの計算はFITが終わる20年のその後の売電価格次第であることになります。もしそれが従来の価格である10円レベルになったとすると、すなわち今の収入の 3 分の 1 弱になったとすると、大変ですが体制を継続できるだけの体力を別府発電所は持っているといえましょう。そして600万円を確保するには、払う必要が無くなった利息分や税の引き下げなどで工夫しながら対応することになると思われます。

　表 2 の中の機械設備・電気工事は、上段が高く、下段はそれが安い事例として示されています。上段はメーカー提示の価格であり下段はその価格の85％の計算になっています。いずれも計算の基礎になる発電電力量は958千kWh/年であり、売電価格は34円なので年3,256万円を想定の売電収入としています。

　先ずはメーカー見積もりで水車はS型チューブラを基にした価格が

上段に含まれ、下段は概算見積もりの8割強です。なお除塵機に差がありますが、これは周辺地域の発電所の除塵機の数値を参考に上段を決め、下段は同じく8割で計算しているとのことです。また下段は、維持管理の人件費を、すでに説明してありますが、上段と同じく建設費の17%としていますが、これに対してその8割に軽減できた時の計算を第3案としています。この第3案の掲載はここでは省略しています。

　収支表では、1年目で収入から支出（減価償却および支援金等は含まない）を引いた残り（所得と表現しています）が2,012万円となっていました。これだと減価償却費1,282万円と支援金の600万円は十分にカバーされますが、法人税を払ったのちはきつい数字です。下段は所得が2,088万円と少し多く、さらに人件費を8割に抑え込んだ第3案はさらに多く2,108万円となっています。

　表2の上段で収支を今まで検討してきましたが、3億円の借入金の返済を20年にすることで毎年の返済金を単純計算だと1,500万円、これに支援金の600万円を合わせると2,100万円、上記の残り2,012万円とほぼ同じになります。そして利息が計算の1.8%より実際は低いので、計算としてはあうことになります。

　建設工事費の返済年数の計算では、各年度に発生する利益全額（所得から法人税を差し引いたもの）を次年度の返済に充てる場合の回収年を、すでに述べたように、計算しており、表の上段では16年、下段は14年、そして第3案も14年となっていました。ということは機械設備・電気工事費の減価償却は20年を予定しているので、上記の16年で回収が終わる計算ではなく、償却費で収支を計算するならば（すなわち償却費で返済するやり方ならば）、すでに述べたように支援金を払う余地が当初から毎年出てくることになります。

　これらの諸数値を基礎に、実際に折衝等の方法で最終の事業費が決まっていきます。

　確定された最終の結果は、同農協の第24回通常総会議案（2018年4月15日）で見ることが出来ます。2018年1月末の貸借対照表を使い、負債を見ると、日本政策金融公庫の1億4,321万円、鳥取信用金庫7,150万円、そして同じ額を山陰合同銀からも借り入れています。これらは更新工事借入金となっています。これに加え財産区から1,050万円借り入れていますが、撤去した発電機等を入れる資料館の土地購入850万円、建物200万となっています。今回の発電所関係の借入は総額2億9,671万円となります。約3億円で金利は1.05％でした。しかも公庫の貸付期間は20年であり、また信用金庫と合同銀行も10年の期間の後は金利の交渉を含めて必要なら借り換えが認められています。ということは支援金を確保しながら20年かけて借入金を返済する計画になっているのです。また20年を過ぎれば、その分、利益が確保できるので、積立金等は残すことにして、地域への貢献は確実に継続されることが期待できます。

　なお借入金の交渉はかなりきびしいものだったようですが、別府電化農協は当時の組合長（製材業を経営している上紙進氏）と理事の人達の考えがしっかりまとまっており、金融機関にそれまでの発電実績量のデータを示しつつ、融資を獲得していったようです。つなぎ資金への理事の保証等も十分に理解した上で、理事として対応したようです。このようにして経営者保証、個人保証を乗り越えていったのです。

　筆者は、FITという国の仕組みなので、農協を含め地元の金融機関は容易に貸し出すものと思いこんでいたのですが、実際はどの地域でもこうした電化農協等の小規模事業体への貸し出しはそう簡単ではないのが共通のようです。この時代、環境への銀行融資は一般に高く評

価され推進されているといわれますが、担保の割には事業規模が大き
く、また天災等の要件も入れると銀行にとって貸し出しの判断は難し
い案件なのです。環境要件だからといって、貸付けは難しく、短期な
らともかく、長期貸付は無理だということが多いようなのです。自己
資本がないのも貸付け側が嫌がる要因になっています。なおリース会
社からは発電機や水車等のリースの申し出が電化農協にあったようで
すが、理事会はリースにすると機器の管理そのものが自らの手から
リース会社に移ることを心配して、すべて自ら所有管理し、借入金を
返しながら地元に利益を最大限に留める方式を選択しました。

　別府電化農協の理事は、毎年の小水力発電サミット（後の小水力発
電全国大会：全国小水力利用推進協議会主催）に欠かさず参加し、情
報を得、自らの発電所の更新をしっかり検討しておられました。毎年
サミットの会場で筆者は電化農協の理事に会うことを楽しみにしてい
たほどです。

　県土連に提出された荒谷建設コンサルによる実際に想定された工事
費は、**表2**の上段にあるように2億3,642万円でした。設計費を加え
ると2億5,642万円になります。**表3**にある「工事費等の確認」の合
計3億万円との関係は以下であらためて検討しましょう。**表3**は電化
農協発電部に残されている資料（2015年8月8日付け）です。

　検討すべき点はメーカー提示の機械設備や電気工事であり、また土
木建築工事の費用の水準です。荒谷建設コンサルによる提示した工事
費はメーカー価格が基礎となっています。この場合、特に水車や発電
機は輸入も含めて、広く価格を調べているので、メーカーの提示価格
は競争的な水準にあるとみられます。なお基本工事はすべて更新です
が、導水路は必要な個所を一部更新し、沈砂池、制水門設備や取水口
は既設の流用になっています。これでエネ庁との新設認定協議に臨ん

表3　別府発電所の最終の事業と事業費

1．水力発電（hydro electric generation）について

水力発電に関する諸条件を別府発電所の発電量で確認する。

発電出力は、使用流量Q（m³/s），落差H（m），水車・発電機効率 η（%）から求められる。

$9.8 \times Q \times H \times \eta$（kW）

"9.8"は重力加速度（m/s2）

最大使用水量　Qmax（m³/s）　⇒1.4（m³/s）

常時使用水量　Qf（m³/s）……流況表の355□流量 ⇒　　　　（m³/s）

最大水量時有効落差　Hemax（m）　⇒11.7（m）

通常水量時有効落差　Hef（m）　⇒　　　　　（m）

①理論水力……河川法に基づく水利使用量の算定に用いられる。

・理論最大水力　Pemax（kW）

　＝9.8×最大使用水量　Qmax×最大水量時有効落差Hemax

・理論常時水力Pef（kW）

　＝9.8×常時使用水量Qf×常時水量時有効落差Hef

②発電出力……理論水力に、水車・発電機の効率を乗じたもの。

・最大出力Pmax（kW）

　＝9.8×最大使用水量　Qmax×有効落差Hmax×合成効率 ηa

・常時出力Pf（kW）

　＝9.8×常時使用水量　Qf×有効落差 Hef×合成効率 ηa

2．工事費等の確認

◎事業費検討（当初）		①の内訳（詳細は、契約書、見積書等参照）	
①機器及び、工事費		土木関係工事費	26,959,568 円
	235,000,000 円	建築関係工事費	39,256,432 円
②消費税（①の8%）		電気設備費/工事費	8,540,000 円
	18,800,000 円	ゲート等設備費	27,484,000 円
③実施設計料		主要機械設備費	115,000,000 円
	15,000,000 円	管理費等	17,760,000 円
④残債繰上償還費		計	235,000,000 円
	15,000,000 円		
⑤予備費			
	16,200,000 円		
合計：300,000,000 円			

でいるので、この水準で新設とみなされるはずだとしていたのです。なお前に触れた2017年3月のエネ庁の文書で導水路の更新の考えが示されていますが、これは後の話であり、別府の場合は導水路が農業用水路を兼ねていて、必要な個所の更新のみで認定の申請を出し、認められていることになります。なお必要な個所は上水槽から約100m程度の水路劣化損傷個所（水路壁面）の補修に留めており、以降の改修工事は今後の課題としています。

　かくして、第1段階として基本設計、機器仕様の検討が終わっており、水車発電機のメーカーを決定するまでの作業が終わっています。次の仕事は採用メーカー、その機器の使用を決め、中国電力との系統連携協議や経産省の設備認定申請になっています。その上で、第2段階である詳細設計（工事発注図書作成）、許認可申請、そして第3段階の基幹改良工事に進むことになります。

　そして並行してのメーカーの選定です。今回の基本設計をベースに輸入も視野に入れた価格でのメーカー選定であり、従来の業者にとっては厳しいものがあったようです。

　結論から言えば、この後で述べる鳥取県小水力発電協会会長・杉原氏の取り組みが大事です。想定される鳥取県内にある既存の小水力発電機・11基を取りまとめ、メーカー1社に注文が行くようにすることで競争的価格の提示を求めたことが大きいのです。また取りまとめ会社（京葉プラントエンジニアリング：東日本では東京ガスに次ぐ都市ガス供給の京葉ガスのグループ会社であり40年以上の歴史を持つ：以下、京葉プラントと略称）の役割は大きく、チーム全体で競争的な価格提起になるように動いています。これらは、杉原氏による呼びかけが大きな役割を持っており、これによるコンサル（荒谷建設コンサルタント）・取りまとめ主体（京葉プラントエンジニアリング）・メー

カー（三井三池製作所）・土木建設関係のチームが作られ、競争力の
ある価格が彼らから提起されたことが大きいのです。これを筆者は鳥
取スキームと名付けていますが、これは後の節で説明します。

　いずれにしろ、その仕組みが別府小水力発電所にも適用されたのです。具体的には、設計：鳥取県土連及び荒谷建設コンサル、施工：京葉プラント及びやまこう建設株式会社、水車・発電機等製作：㈱三井三池製作所、になります。そして今回の事業主体は別府電化農協であり、鳥取スキームの機能は競争的な価格の提示等であって、これをもとに電化農協が中心になって事業を進めてきたことを強調しておきたいと思います。

　すなわちこの事業の収益は全て事業主体の電化農協に残るように仕組んだことになるからです。今回は住民、すなわち電化農協の組合員からは増資を求めていません。財産区からの借入の1千万円がその役割のように見えますが、組合員からの出資を得ずに自力でこの事業を行うことに電化農協の理事はこだわったことになります。そのことで地元に「落ちる」金額を最大にしようとしたのです。

　この結果を説明しているのが**表3**の3億円の「工事費等の確認」になります。これを全額、借入金でまかなっていることは説明しましたが、その3億円の内訳がわかります。水力発電に係る諸数値は**表3**の上段の1．水力発電に書いておきましたが、下段が2．工事費等の確認になっています。工事費等で、事業費を検討していますが、①機器及び、工事費が2億3,500万円、これに③実施設計料1,500万円を合計すると、2億5千万円になります。この額は**表2**の上段の工事費と設計費の合計額2億5,642万円を下回っています。すなわち京葉プラントから競争的な価格である2億3,500万円の見積もりの提示がなされているのです。これが大事です。そして表3の2．の①の内訳の中の

主要機械設備費1億1,500万円は競争的な価格の水車や発電機等を含んでいるものと思われます。そして関係の工事費や管理費等があり、残りは、消費税、残債の繰上償還、また資料館用の隣接地の土地（農地）購入費、水路亀裂の更新工事、旧建屋の解体、竣工式等を含む1,620万円の予備費、これらを合計すると3億円になります。

　豪雪下に行われた発電所の竣工式に参加出来なかった人が多かったようですが、別府発電所は鳥取スキーム第1号として立派に立ち上がりました。すでに述べて来た鳥取県土連による2013年以来の農水省「農山漁村活性化再生可能エネルギー事業化推進事業」の支援は、この動きを現実のものにしたといえましょう。

　1953年運転開始の出力117kW・導水路800m・鉛直水塔高さ12.1m・水量1.4㎥/s・E社の水車・M社の発電機の旧発電所は、出力134kW・有効落差11.7m・三井三池製作所の水車と発電機に置き換わり、売電先は同じ中国電力だが3倍以上の単価の固定買取制に乗ることが出来ました。住民全戸加入の別府電化農協は発電の収益を地域に今まで還元して来ましたが、上紙進組合長（当時）・関係者の努力で、これからもこの仕組みは機能し一段とその役割を増すことになったのです。

（3）メーカー等の高値少数寡占を崩す
　適地は多くあると言われながら、期待ほどに小水力発電所は増加していません。2012年施行「固定価格買取制度」（FIT）が再エネ発電を促進するはずでしたが、太陽光発電に集中してしまったといえましょう。他の発電は、増産と拡大が比較的容易な太陽光に比べ準備に時間がかかるとはいえ、期待するほどの普及に至っていないのです。
　この状況に、土地改良新聞2016年8月25日号で、「小水力発電を促

進させるT県スキーム—まとめて発注を受けた新規参入者の低コスト提案—」を筆者は書きました。新たな動きがT県で起こり、今後、小水力発電の増加が期待できると述べたのです。この記事にT県はどこか、低コスト提案の事業者名を教えてほしいとの要請が多くなされたので、同紙にその後、実名で状況を紹介してきました[16]。

　水車や他の事業費が固定買取下で高値寡占状態（高値ながら既存企業のみで参入がみられない）になり、多くの地域でそのことにより採算が合わず、小水力発電の普及が妨げられてきたといってよいでしょう。水量が豊富で落差が大きい優良条件の小水力発電は、そうした事業費でも採算が取れ、発電所が立ち上がり、稼働し始めているところが多くあります。新聞や雑誌等で紹介される事例はそうした所が多いのです。また補助金を受けることが可能な発電所も同様だといってよいでしょう。

　しかし他の多くのところでは、既存のコンサルが提示する事業費では、FITでもコストが取れず、あきらめるところがあったのです。

　しかしこれに対して、低コストで採算が取れるようにするグループが現れました。従来の業者は「再エネバブル」を享受し、それに合わない事業は引き受けず、受けたとしても相当の期間待たせるなどの対応でした。工夫して価格を引き下げ、早めに納入するというような対応は見られませんでした。だが今回の新規参入者はコストを下げ、採算が合わないとする既存業者に対抗して、新たに案を提起したことになります。これこそ固定買取の仕組みが期待したものであり、既存業界とは異なる企業が参入し、太陽光パネルに見るように、価格を引き

---

(16) 土地改良新聞2017年2月25日に、実名を入れた記事「小水力発電を広く可能にする鳥取県スキーム—新規参入グループの低コスト提案—」を書いています。

下げるという流れだとみることができるでしょう。

（4）地域をまとめるリーダーとコンサル・施工・メーカーの革新性

　鳥取県小水力発電協会会長の杉原氏（いずれも当時）は、理事長である天神野土地改良区が管理運営する小水力発電所の更新・FITへの適用で、大変な苦労をされました。新規発電所用の固定買取制に、既存の発電所の更新にも適用するよう、政府に強力に働きかけてきたのです(17)。

　また自らの土地改良区が運営する南谷（なんごく）小水力発電所の更新で、入札に応札がなく競争がないので、自ら業者に働きかけました。この倉吉市にある天神野土地改良区の事務所脇に設置された竣工記念碑には、設計監理が株式会社建設技術研究所であり、水車・発電機が富士古河E&C株式会社だと述べられています(18)。水車のE社、発電機のM社という、中国地域や大分県等で見られる古い小水力発電所でのメーカー組み合わせではないのです。発電所は2014年12月から運転を開始しています。

　業者に応札してくれるように話を持ち掛け、できるだけ競争条件を作り出そうとされた結果です。もっともこの発電所は土地改良区が受けとれる農水省の補助金の「地域用水環境整備事業」を使い、事業費

---

(17) 政府への働きかけは、他にもなされました。中国小水力発電協会『中国小水力発電協会60年史　自然とともに、地域とともに。』（2012年9月）には、2012年の多くの新聞に発電協会による関係機関への働きかけが載っていると紹介しています。また「60年間の主な出来事」によると、2012年7月FIT施工前に、中国5県の農協中央会会長がエネ庁等に働きかけています。農林中金総合研究所の『農林金融』や同研究所「論文・レポート」の渡部「農協等の取り組む小水力発電事業への期待と課題」（2011年）、等も大いに力になっています。

1.9億円だが86％は国・県・市からの補助であり、土地改良区は14％の2,600万円で済みました。今までの売電収入が700万円であったのが、発電所の更新以降はFITにより３倍の2,200万円の収入となったのです。売電収入の一部を、組合員の土地改良区賦課金を10ａ当たり1,000円分軽減する財源に充ててきたのですが、今回の増収で賦課金軽減にさらに充てることが出来るようになりました。しかも通常だと補助金もあり施工業者の提示価格を受け入れそのまま工事が進むのですが、杉原氏は入札を求め、応札がないので自ら働きかけて新規業者による価格提示まで持ち込んだのです。安い価格が提示されるように、競争が実質化するよう、努力されたのです。

　1952年導入促進法の融資で地域が自ら発電所を設置し、今では農協（専門農協の電化農協を含む）や土地改良区、自治体などが運営する発電所がすでに述べたように中国地域には数多くあります。更新時期にあるこれらの発電所は、高い買取り価格（従来のkWh当たり９～10円が200kW以下の水力発電所の場合34円になります）を希望していました。だが従来からいろいろ相談に乗ってきてくれた電力系のコンサルに相談すると、導水路を除いたコスト計算でも採算が合わないとするような答えが事業者に多く返ってきたのです。中には既設導水路活用方式に位置付けられ、危うく25円プラス税の安い買取り価格に

---

(18) 1952年に当時の南谷農協が導入促進法で建設した南谷小水力発電所は、1979年に天神野土地改良区が譲り受けました。そして小規模な補修を加え、ため池に入る農業用水の落差を利用したこの発電所を維持してきたのです。しかし建設後60年を経過して施設更新を国、県に相談しましたが、なかなか話が通じなかったのです。しかし、東日本大震災、そしてFIT導入と状況が変わり、古い既存の発電所も更新でFITに乗せられるように要請したのです。これが受け入れられ、２年に渡る工事の後に、2014年11月29日竣工式を迎え12月１日から中国電力に売電しています。

なりかかった例が鳥取県でもあったのです。採算が合うとしたところ
でも、発注して納品が2〜3年後といった状況でした。昔から機械を
設置しメンテナンスも見てくれた既存メーカーに頼めば安心と考えた
のでしょうが、提示された条件は高い価格だったのです。これでは採
算があいません。

　こうした状況下で、新規参入もなく業界が寡占状態なので応札もな
いのです。ここで杉原氏は動くのです。自らの土地改良区の南谷小水
力発電所更新の時の経験がもとになります。鳥取県小水力発電協会の
15発電所のうちで更新をためらっているところを含む11発電所の総合
農協、電化農協等に呼び掛け、まとまって動くことを提起したのです。

　他方、話に乗ってきた新規参入者の荒谷建設コンサル・施行者の京
葉プラント・メーカーの三井三池製作所に、従来の価格を引き下げる
提案を要請したのです。

　その結果、ある事例では、従来仕事を一手に引き受けてきた電力系
のコンサルが提起するコストと比べて3割も低い額の提示が出てきた
のです。メンテナンスも県内に新会社を設立し対処する方針が示され
たので、事業者は安心して依頼できることになります。新規業者を含
め「チーム杉原」の貢献とその成果と呼ぶ人もいます。新規参入を業
者に呼び掛け、コストを下げさせる「鳥取スキーム」なのです。これ
に至るまでに、杉原氏のもとには多くのメーカーや金融機関、リース
会社等が、面談に来ています。同氏はこうした会社の信用力を調べる
ために、ポケットマネーで来る会社の経営力を調べ、またどのような
提案なのか、十分に調べたとのことです。これらの調べをもとにし、
話を聞きながら、最終的にこのチームに任せることにしたのです。そ
の最初の成果が別府発電所になります。

5．事業の実施にみる多様な形態

（1）自力の別府発電所そして企業と組んでの発電所更新

　電化農協の財政力や発電所の規模、取水量の大小や導水路の状況等から、実は契約や事業形態は発電所により、同じ鳥取県内でも異なっているのです。従来と比べ引き下げられた競争的なコストで計算した荒谷建設コンサルの基本設計業務報告書等を基礎に、施工を行う京葉プラントが中心になり、個々の発電所と仕組み方を協議しています。ただし水車や発電機等は三井三池製作所にまとめて注文が行くようにし、メーカーは電気計装盤を含め一括生産の組み立てで、品質やメンテナンス、納期に対応できるようにしています。このようにまとめて受注ができるならば、重電メーカーも参入できるということだと理解されます。

　電化農協は経済力には差があり、細かいことは別にして、大きく言って、更新を事業主として自ら行い、水車や発電機等を注文する別府電化農協、そしてリスクを避けるため20年間更新を含め事業を京葉プラントに任せ、その間は水利や導水路等の使用対価を受け、20年後に施設全体を返してもらう農協もあるのです。また京葉プラントに実質的に任せ発電施設を更新する農協もあるようです。杉原会長が取りまとめた鳥取県の11基の既存の小水力発電であっても、この中にこれから説明する複数の形態があります。

　ただし多様だが基本は地元が発電所を把握していることが大事であり、地元への貢献があることが強調されてよいと思います。事業主が企業であり、利益の一部しか地元に落ちないとする批判もあり得ます。しかし色々な事情で単独で事業を行うことができないことから、共同事業や、さらには事業主を京葉プラントに任せ、利益の一部を受け取

るところもあります。これはやむを得ないことだと思われます。

　むしろ、事業が行われないことを避けねばなりません。その上で、事業が行われるとしても、外部企業の単独や電力会社等により事業が行われ、再エネのメリットが地元に落ちず、利益のすべてが都市に流れることこそが問題なのです。

　そうした中で、地域の組織は相手にコスト引き下げを求めるなど、利益を地元に残す努力が必要です。その意味で、従来のメーカーやなじみの電力系コンサルにのみ依頼するだけでは、コストを引き下げたり地元に利益を大きく残すことはできないでしょう。また事業をあきらめることにもなりかねません。

　電力系コンサルを従来と同じように指名依頼して、ひどい目にあった小水力発電所があります。240kWの小水力発電所を持つA電化農協は工事費が4.3億円（5億円とも）と多めの提示であったようです。またC総合農協の複数あるうちの一つの発電所（130kW）の更新をコンサルに依頼して、4億から4.5億円近い額の高い工事費が提示された事例もあります。しかも任せっぱなしの間、両方とも認定が既設導水路活用型とエネ庁に判断されるような折衝がなされたようであり、危うく安い調達価格になりかかったのです。十分に準備した折衝ではなかったのです。

　これに対して京葉プラントの動きは早く、相談に乗った時点でエネ庁と折衝し、既存認定を取り下げ、あらためて新設認定へと元に戻させ、最終的には全体の更新による新設扱いになり、従来から期待している調達価格になったのです。

　そして京葉プラントが提示した価格は、240kWの小水力発電の工事費では3億円であり、また総合農協の分も3億円の水準の提示でした。しかも、電力系コンサルの提案やコストには導水路の更新コスト

は一切入っていませんでしたが、京葉プラントの場合は、全部の水路取り換えではないが、エネ庁が求める範囲での、必要な場所の更新・補修が入っており、依頼者から見ると競争的な条件提示になっていたようです。

（2）企業と組んで共同事業にした事例

　以下では、事業主体を電化農協にして自力で資金手当てをした別府電化農協とは異なる事例を、具体的に見てみましょう。

　ここではA電化農協のケースを取り上げます。杉原会長がとりまとめた11基のひとつです。最終的には事業費3.8億円ですみ、このうち１億円を電化農協が負担し残りを京葉プラントが負担する共同事業（関係者は「協働」事業と称しています）になっています。具体的には送水路や樋門、取水口、ヘッドタンクなどの改修費を電化農協側が負担し、京葉プラントが残りの事業費を負担しています。なお施設用地や水利権等は電化農協が従来通り所有する形になっています。

　前節でふれましたが、A電化農協は従来のように電力系コンサルに仕事を先ず依頼しました。そして事業費が４億円をこえるものであったが、そのまま申請して、結果としてエネ庁では既存導水路活用型の対象としての位置付けになりかかったのです。この安い調達価格での売電は、電化農協や理事長が予定していたものではなかったので、困ってしまいました。それを京葉プラントが受けて、急きょ申請を取り戻し、鳥取スキームで対応したのです。そして電力系コンサルより少なくて済む事業費の更新計画を電化農協に提案することになります。

　この京葉プラントからの最初の提案は、電化農協自身が、別府電化農協と同じように、自ら借入して事業を行う、すなわち事業主体になるものでした。これだと収益は結構大きいものでした。だが、地元の

金融機関は電化農協の信用力を危ぶみ、理事にも個人保証を求めたのです。その結果、理事のなり手がなくなり、自力による更新が難しくなって、京葉プラントとの共同事業にならざるを得なくなったということになります。自営業を営む理事長は、収益が確実な事業なので可能なら自ら中心になって行う意欲もあったようですが、電化農協の他の理事が難しいという以上は、自力での発電事業はあきらめざるを得なかったのです。

　対象となる発電所は1960年から電化農協の管理・運営により地元の電力源として稼働していました。稼働から50年を超え施設の老朽化が進んだことやメンテナンスも困難になっていたことから、FIT制度を機に、設備や施設の更新を決めたのです。今回、設備を更新した発電所には、三井三池製作所の横軸フランシス水車が導入され、114mの落差を活用し、年間に一般家庭360世帯分の電力使用量に相当する130万kWhの発電量がみこまれます。

　なお協働事業と称していますが、それぞれが所有する施設をそれぞれで管理することになっています。そして共同事業者である京葉プラントに収益事業である発電所の経営権を委譲し、その上で経産省の認可を受けています。京葉プラントは金融を、三井住友ファイナンス＆リースそして山陰総合リースと組み、発電設備のリースと既存施設の改修費用の立替払いの契約を締結しています。契約の対象は水車、発電機、水圧鉄管路など発電設備一式になります。

　地元金融機関側はすでに述べたように電化農協が事業主体になることに不安感を持ち、理事に保証等をかなり求めたようです。それが理事の不安に結びつき、事業主体をむしろ京葉プラントにすることになったことはすでに触れました。そして地元金融側は企業である京葉プラントなら貸付けは可能としたのですが、京葉プラントはむしろ

リース形態を選択したことになります。20年の長期利用が必要なので
リースの形の方が経営としては安心とみたようです。

　電化農協は締結した小水力発電事業運営契約書に基づき、電力を供
給する発電事業の管理業務を的確に遂行することを約束しています。
具体的には導水路の流量を確保し、円滑な発電事業運営に資すること
に協力することになっているのです。そのことを前提として共同事業者で
ある電化農協は発電所の管理業務の仕事を受託し、受託管理料（基
本的支払い）を年798万円（内訳は、維持管理料200万、用地管理料
100万、受託管理料498万）の定額を毎年受け取ることになっています。

　ということは電化農協の収入はこの約800万円が基本になり、ここ
から事業費として618万円（内訳は、管理人の分が大きいのですが人
件費237万、導水路の管理費等施設費110万、その他事務費や税、減価
償却繰り入れ）、事業外費用として168万円が出てきます。この事業外
費用が福祉・文化向上対策費80万円、地域電化推進費80万円になり、
地区内の街路灯の電気代や公民館の電気代の全額助成に充てることに
なります。以上は2018年4月の第24回通常総会議案の2018年度収支計
画に述べられているところです。

　京葉プラントは自ら借入（具体的にはリース形式を採用）して発電
所を更新させ、認可も取り、全量を固定買取で売電し、この中から前
述の800万円を払ったのちは全て京葉プラント側の収入になります。
これで20年の間に全ての投資を回収し一定の利益を得て、それ以降は
電化農協に譲渡し、事業は従来のように電化農協のものに復活するこ
とになります。

　いずれにしろ電化農協も導水路の流量を確保するなどの事業の一部
を負担・担当することで、それへの対価を多めに受けることになって
いるのです。

（3）企業に事業委託したESCO事業に加わる事例

この事例はD総合農協で行われている事例です。ESCO方式と称していますが、ESCO方式そのものは受託会社が省エネの改修費用等をすべて負担して実施し、その後に発生する光熱費等の低下で生じた余剰を受託会社が受け取って回収する形です。これと似た形ですが、この発電事業では事業に係るすべての投資を京葉プラントが負担し、その回収は売電料から行いますが、その残りを事業協力金として農協に払うやり方です。その場合、20年間、毎年定額で払う約束を最初にすることがこの事例の特徴のようです。

事業の収支計算そのものがかなり確実とみられるので、投資分の回収だけではなく、定額支払いも約束できると見ることができます。京葉プラントはリスクを負ってはいますが、FITが適用される20年の間に回収し、余剰分も計算できるので、この仕組みになったようです。

この方式は**図6**に示されていますが、事業運営主体が京葉プラントになり、底地の利用や水利権等を基にした事業なので農協に事業協力金を20年間払う形になります。そして地権者との折衝や水利権の更新等、農協側が行うことになります。

そしてファイナンスは京葉プラントが借主として行いますが、20年の回収なので図にあるように積極的にリース会社を使うようです。

前述の共同事業では、農協側も工事費や導水路の管理などを負担して流量の管理責任を負うことになっているので、このESCO方式での「事業協力金」の金額は共同事業の「受託管理料」と比べて少なくなっています。

農協としては、すでに発電事業そのものが他の部門からの応援で成り立っている部門なので、事業の取りやめを含め、継続そのものが難しかったのですが、今回の京葉プラントの提案により小水力発電とい

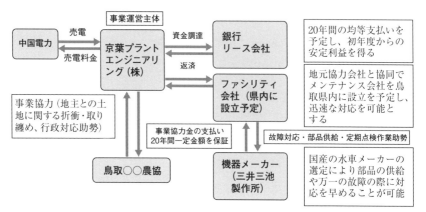

図6　企業が事業を受託するESCO事業のスキーム

う地域の資源を使い地元にメリットを還元する仕組みは維持されることになったわけです。再エネを支える農協としての役割は継続されたことになります。

　これに加え、帳簿上の旧発電所の残っている簿価、そして除塵機のリースの残債務を買い取る形の京葉プラントの提案なので、農協としてはこれらの「負担」も無くなる形になります。

　20年後は新たな売電価格のもとで事業継続が可能であれば、事業運営費を算出し事業協力金を決めることになっています。採算が合わず事業を継続できないとなると、京葉プラントの負担で設備等の撤去を行うことになるようです。もし農協側が自己の判断で継続するとなる場合は設備の買取り等が発生するでしょうが、基本は減価償却済みなので、それをもとにした話し合いになると思われます。

6．発電を可能にする条件づくりこそ必要

　他県での農協等が経営する発電所の更新にあたり、電力系コンサルから採算が合わないとか既存導水路活用型の提示とかを受けたので、荒谷建設コンサルに最近相談が来るようになったとのことです。一部に実際のコンサルが始まっていますが、従来とは異なる他の問題が発生しています。最近、発電所、導水路、取水排水口等の敷地の所有者の確認がなされない部分があるとして、エネ庁で申請が受け付けられない問題です。所有者不明の土地という問題です。農地では公示制度が始まっていますが、宅地ではまだ十分な対応策が出ていない社会的な問題なのです。

　導水路など発電所側が購入していれば問題はないのですが、借入地であれば、多くの地権者が関係します。その中に相続登記等がなされていないため、更新の時点で地権者が不明になっているケースが出てきているのです。エネ庁はこの問題をこの１、２年重視し始め、本来契約すべき地権者との契約を求めているのです。

　しかし導水路等の借入はその借入形態や面積には変化はないのだから従来と同様に契約を更新させ、他方で実際の地権者を確認する作業を行っていけばよいのだと思われます。従来のやり方をここで大きく変更することはないと思われるからです。

　また、この問題とは異なり、小水力発電を新規に始めようとする場合、依頼したコンサルや企業に任せきりで、地元関係者がみずから動かない傾向があることも指摘しておきたいと思います。特に事業として採算を取るのが難しい案件の場合、これを採算に乗せるべく、メーカーや土木関係者の努力だけではなく、水利の関係やその他の条件を自ら改善する努力が、地元関係者に求められることも強調しておきた

いと思います。採算があうとなれば事業主体は色々な形が考えられ、事業に向けて前進するものです。しかしあわない場合はどうか、ということです。

　筆者は関東の山沿いにある市の小水力発電所の検討をみておりました。市が設置した小水力発電検討協議会が、採算が取れないというコンサルの結論で2014年に会を閉じてしまったことを、地元で開かれたシンポで知ったのです。もともと環境問題や再エネに熱心な市として知られ、シンポの後に小水力発電の旧跡や可能な適地、さらにはソーラーシェアリング（農地の上に太陽光パネルを並べ農業の事業と発電の事業の二つを並行させるもの：営農発電とも称されます）なども視察できました。

　しかしコンサルの報告をみると、そこにみる経済性の計算ではどうもコストが高いことを感じたので、非公式に建設系の会社にボランティアで、適地である農業用水路に関わる小水力発電の調査・検討をお願いしたのです。このO社はもともと中堅の建設会社なのですが、環境に関連する再エネを、利益がなくても（損は生じないようにしていますが）、事業として行う姿勢を明らかにしていました。

　その結果、コンサルの試算結果の報告は、おそらく工事費が高く採算が合わないとの結論だったのではないかと推定し、発電所建設費、年間発電量及び維持管理費等の見直しで収益対コスト比を1以上にする可能性がありそうだ、との見通しをもらいました。そのため、市と協議して新エネルギー財団が公募する水力発電事業性評価事業に応募し、1年間の調査を行うことになったのです。なお補助残はすべてO社が負担しました。見通しでは水車や発電機を外国製にしたり耐用年数を伸ばすことも加えれば採算は確実にあいそうとのことでした。建設会社であればどうすれば工事費が下げられるかは得意の分野であり、

これを含めて多面的な検討をお願いしました。

　そして1年間の調査結果が出たのですが、やはり採算が合わないとのことでした。ただし前の委員会で使用された水量データを使うと採算点に近くなるのですが、1年間の実測によると実際はそのデータの水量の3割減の水準だったのです。慣行水利権だが、上流にある東京電力と水利組合との流量取り決め通りに取水していない実態があったのです。

　東京電力の発電所取水口の沈砂池と分水槽の水位により、発電所と用水路の流量分配が行われているはずなのです。年間6期に分けての分水量の取り決め水量があるのですが、その通りには実行されていないようなのです。おそらくはこの農業用水を下流部で利用する水田面積の減少で、発電のために取水する地点での農業用水用の取水量が実際は減少してきたように思われるのです。

　この慣行水利権を予定通り取水するか、あるいは新規に発電水利権を取得すれば、採算の可能性は出てくるようです。

　ということは慣行水利権を有する用水水利組合がどのように行動するか、に大いにかかっているように見えます。また市がどのように音頭を取るか、にもかかっているでしょう。調査を行ったO社は市の事業として、水利組合等を説得し、また何らかの補助事業を得て、事業の採算性を確実にすることを望んでいました。その上で自社からの資金出資も検討できるとのことです。

　しかし残念ながらこれだけのデータや材料を、民間企業が補助事業だが自社の持ち出しを加えて得たにもかかわらず、地元の反応は見られません。水利組合の取水に依存する以上、また従属水利権である以上は、水利組合を主にして地元が動かなければ小水力発電は進まないでしょう。地元の関係者の努力を再度期待したいところです。

おわりに

　現在及び今後の状況は、菅総理大臣の2020年10月の所信表明演説で大きく変わりました。

　2019年までは、地球温暖化の長期戦略で2050年までに日本は80%削減するというのが政府の約束であり、排出ゼロの時期は明示していませんでした。それが2050年までに温暖化ガスの排出量を完全にゼロにするとその時期を示して約束したのです。

　これは大きな政策変化です。その目標に向けて多様な政策を今以上に打つ必要があります。これまで掲げられていた2030年の電源ベストミックスは大きく変わることになるでしょう。まず再エネの目標は飛躍的に上げなければなりません。本書の課題である小水力発電の目標も引き上げられることになるでしょう。国際的にも注目されています。

　そして本書が強調するように、小水力発電の一般的な意義を説くだけではなく、現場での実行・実施がより一層求められることになると思われます。とりわけ強調されるべきは、水車や発電機、さらに工事費など、競争的な価格や工事単価を求めることです。FITのもとでも、コストが高く採算があわないケースが多いのです。

　もともと電力業界は協調的寡占とでもいうべき傾向が強く、FITのもとで価格を下げずに利益が確実にとれる対象に事業を絞ることが多いようにみられます。太陽光パネルにみるように、参入企業も含めて、また輸入資材も入れ、競争的状態を招来することが求められます。

　またこれは発電所側の問題です。規模の大きい発電所も売電価格入札導入など、エネ庁が地方公共団体に求めていますが、2013年の調査では9割が随意契約になっていました。これでは新電力会社は参入できません。業界全体として競争体質をもつ必要があります。

　時代は再エネの飛躍的拡大を求めています。小水力発電も劇的に増えることが期待されます。徐々に小水力発電業界には新規参入もみられるようになり、条件は改善されています。政策としてもFITをはじめ支援の仕組みは大きく強化されるでしょう。制度の手直し等はありえますが、それらを有効に活用し、当事者の積極的で主体的な活動を期待したいと思います。また地球温暖化対策推進法も改定され、地域の活性化や環境保全につながるようにして、手続きの簡素化や施設整備の支援等も期待されるところです。

　本書は、農林水産省農林水産政策研究所の委託研究「農業分野におけるイノベーションが持続可能な社会を実現するプロセスおよびそれを後押しする政策に関する研究」（平成30年〜令和2年、代表：早稲田大学地域・地域間研究機構次席研究員西原是良）の支援を受け、研究を継続し取りまとめることができました。また多くの方がヒアリングに快く応じてくれました。記して謝意を表します。

参考文献
柏雅之編著『地域再生の論理と主体形成』（早稲田大学出版部、2019年）
小林久編『再エネで地域社会をデザインする』（京都大学学術出版会、2020年）
中島大『小水力発電が地域を救う』（東洋経済、2018年）
榊田みどり・和泉真理著『農村女性と再生可能エネルギー』（筑波書房、2015年）
田畑保『地域振興に活かす自然エネルギー』（筑波書房、2014年）

著者略歴

堀口 健治 （ほりぐち　けんじ）

〔略歴〕
1942年生まれ。早稲田大学政治経済学部卒業。東京大学大学院農業経済学専攻博士課程中退。鹿児島大学、東京農業大学を経て、1991年早稲田大学政経学部教授、のちに学部長、副総長・常任理事を務める。2013年退職。現在、同大学名誉教授及び2015年から日本農業経営大学校校長。2002年から2004年、日本農業経済学会会長。農学博士。

〔主要著書〕堀口『畑地灌漑』（農政調査委員会、1975年）、堀口共著『現代稲作と地域農業』（農林統計協会、1979年）、堀口他編『食料輸入大国への警鐘』（農文協、1981年：東畑記念賞を受賞）、堀口『土地資本論』（農林統計協会、1984年）、堀口共著『土地の価格の総合的研究』（農林統計協会、1984年）、竹中・堀口『転換期の加工食品産業』（御茶の水書房、1987年）、保志・堀口他編『現代資本主義と農業再編の課題』（御茶の水書房、1999年）、堀口編著『再生可能資源と役立つ市場取引』（御茶の水書房、2014年）、堀口・梅本編集『大規模営農の形成史』（農林統計協会、2015年）、堀口編『日本の労働市場開放の現況と課題』（筑波書房、2017年）、堀口・堀部編著『就農への道—多様な選択と定着への支援』（農文協、2019年）など。

筑波書房ブックレット　暮らしのなかの食と農 ⑭

地域貢献の小水力発電
協調型寡占の打破・コスト下げとともに

2021年4月14日　第1版第1刷発行

著　者	堀口　健治
発行者	鶴見　治彦
発行所	筑波書房

東京都新宿区神楽坂2-19 銀鈴会館
〒162-0825
電話03（3267）8599
郵便振替00150-3-39715
http://www.tsukuba-shobo.co.jp

定価は表紙に示してあります

印刷／製本　平河工業社
© 2021 Printed in Japan
ISBN978-4-8119-0594-5 C0036